서정시학 서정시 153

희게 애끓는, 응시

이하석 사행시집

서정시학

이하석

1947년 경북 고령 출생.
1971년 『현대시학』으로 등단.
시집 『투명한 속』, 『김씨의 옆얼굴』, 『우리 낯선 사람들』, 『측백나무 울타리』, 『금요일엔 먼 데를 본다』, 『고령을 그리다』, 『녹』, 『것들』, 『상응』, 『연애 간_間』, 『천둥의 뿌리』, 『향촌동 랩소디』, 『기억의 미래』. 서사 시집 『해월, 길노래』 등.
김수영문학상, 김달진문학상, 이육사시문학상, 현대불교문학상 등 수상.

서정시학 서정시 153

희게 애끓는, 응시

2024년 5월 16일 초판 1쇄 발행

지 은 이 · 이하석
펴 낸 이 · 최단아
편집교정 · 정우진
펴 낸 곳 · 도서출판 서정시학
인 쇄 소 · ㈜ 상지사
주 소 · 서울시 서초구 서초중앙로 18, 504호 (서초쌍용플래티넘)
전 화 · 02-928-7016
팩 스 · 02-922-7017
이 메 일 · lyricpoetics@gmail.com
출판등록 · 209-91-66271

ISBN 979-11-92580-35-7 03810

계좌번호: 국민 070101-04-072847 최단아(서정시학)
값 13,000원

* 잘못된 책은 바꾸어 드립니다.

노란 꽃들 지천이다
하늘이 뿌린 금화들을 줍는 이 없네 가난한 내
겐, 어디서든 바람인

씀씀 씀바귀
바귀바귀 씀바귀

—「씀바귀」에서

시인의 말

　최동호 선생이 사행 시집을 내잔다. 사행시라. 우리가 언제부터 사행시를 엿보았지? 어쨌든 사행시를 만들면서, 형식이나 장르의 굴레에 굳이 묶이지 않기를 바란다. 그래서 사행시라는 말 대신 '짧은 시'로 쓴다. 시조로 쓴 게 시부지기 넉 줄이 되기도 해서 맞은 것들도 있다. 재미있넹.

　그래, 짧은 시는 꿈이다. 가장 긴 시의 꿈이기도 하다. 짧아서 먼 응시도 있다. 눈이 먼 시는 아니다. 또렷한 시선이 한결 너를 드러낸다.

2024년 5월 16일
이 하 석

차 례

시인의 말 ㅣ 5

1부 경境

시월 1 ㅣ 15
시월 2 ㅣ 16
고은 ㅣ 17
흰목물떼새 ㅣ 18
흰수마자 ㅣ 19
은행나무 카페 ㅣ 20
탑 1 ㅣ 21
의자 ㅣ 22
티티새 ㅣ 23
쓰레기 줍기 ㅣ 24
팔공산 ㅣ 25
고독 ㅣ 26
신천 ㅣ 27
제비꽃 1 ㅣ 28
제비꽃 2 ㅣ 29

2부 시詩

씀바귀 | 33

섬 | 34

시 1 | 35

시 2 | 36

나무 아래 | 37

동백 | 38

사랑법 | 39

시노래 | 40

노래 2 | 41

탑 2 | 42

2월 | 43

새 | 44

마른 꽃 | 45

3부 애愛

후기 | 49

동해 | 50

보고싶다면, 사랑이다 | 51

헤어진 뒤 | 52

응시 | 53

낙서 | 54

실연 | 55

어제의 풍경 | 56

봄 | 57

이력 | 58

또 다른 사랑 | 59

갈림길에서 | 60

노래 1 | 61

사랑 | 62

봄소식 | 63

구름 | 64

코로나 | 65

4부 시時

소주 | 69

돌 | 70

가섭사 가는데 | 71

부재에 대하여 | 72

추억 | 73

나방같은 | 74

시인의 산문 | 짧은 시, 긴 응시 | 75

희게 애끓는, 응시

1부

시월 1

세상에, 그 시월을 처형했네
그 다음 더 많은 시월들이 호명되지만
죽은 시월들은 부재라서 더 대답하네
지금 우리가 되캐서 그 이름들이 들키네

시월 2

너를 부른다
내 이름은 그 대답
그러니, 죽은 몸으로도 와서 내게 살아라
내 이름은 너의—나의— 대답

고은

높이 낮은 소리 물어 낮게 높은 소리 불러 서로 증폭한다.

부르고 대답하는 그 늘상 파도치는 싸움이여, 화해여, 연민이여

그래, 오늘도 하늘엔 흰 구름 뭉게뭉게
땅엔 민들레꽃들 또릿또릿

흰목물떼새

1
앞 못 보는 사랑 경계하느라
짧은 목 늘이는 새.

덤비는 듯, 잡아보라는 듯, 우리 앞에서 알짱거린다.
짐짓 짤뚝대며 우릴 딴 데로 이끌려는 게다

2
제 새끼 깃든 둥우리 숨긴 사랑의 전략이여
사람들 시선 피해 내성천 우거진 데 숨으려던 연
인들은
어미 새의 모진 반발에 이냥 자갈밭 밀려나서야
환히 포옹한다.

흰수마자*

모래 속에 제 이름의 반점을 숨기는
저 물고기는 흰 여울 독서광
맑게 아른대는 그 세계의 숨바꼭질을 굳이 캐물어
숨을 곳 없애는 건 아주 나쁜 일

---

* 내성천 등 강에 서식하는 아주 작은 물고기, 댐 조성 등 서식 환경의 파
  괴로 멸종 위기 야생생물 1급의 상태다.

은행나무 카페

찻잔에 떨어진 은행잎을 차마 걷어내지 못하네
돌이킬 수 없는 가을 색으로 내몰린 증거지
뉘든 울컥하니 쫄쫄,
제 응시를 혼자 마시네

탑 1

탑도 의자여서
구름이 앉으면 부푼 마음부터 내려놓으라네
날더러 그렇게 앉으라 하네, 나는 그저,
기도조차 층층히 쌓으며 뭉게뭉게

의자

골목 끝에 내놓은 다리 다친 의자
너는
가고
내 불구의 그림자 풍경을 또 앉히네

티티새

1
개똥지빠귀 한 쌍이, 한껏,
우리 집 통풍구에 집을 짓네

마냥 바람 잘 날을 내가 빌어서
알도 낳네 뜨겁네

2
그 바람에 나앉아 나도 살아낼까

부끄럽네,
나는 왜 문지방 없는 통풍구를 내어놓고도
바람을 재워 다독이기만 하나

쓰레기 줍기

깡소주로 비운 뒤 산골 물 담아
바위 우에 놓아둔 패트병
넘어져, 왈칵, 버려져 있네
그 투명한 아버지의 삶을 수거하네

팔공산

팔공산 정상 흰 눈 덮었네
남루한 나는 올려다보며 미나리전을 먹자
그렇게 살자 저 팔공산 정상의 흰 눈 사무치며
봄 미나리처럼 푸른 떼 쓰자

고독

나무뿌리들 드러난 길의 정처

그 길 막은 기억으로 뭉친 바위의 이끼꽃

숲 뚫고 들어 그 돌 데피는 햇살

이 모든, 토라진 마음의 연금술

신천

비슬산 흘러내려 금호강 이르기까지
실버들로 청청 봄을 엮는다
누가 흐르는 물에 제 여정의 돌을 씻나?
누가 그 정한 마음의 징검다리를 건너오나?

제비꽃 1

제비라는 이름의 날개를 가지는 꽃
자세히 보면 그 날개는 제 응시의 그늘이다
제 낮은 키 내세우며 높이 씨앗 날리는 걸
내가 선 채로 이름 부른 적 있다

제비꽃 2

봄은 제비꽃 남색 카펫을 대지에 깔지만
나는 언덕 위에 외따로 선 검은 제비꽃도 챙긴다
제 꽃의 그늘을
돌의 말로 으깰 수 없다는 듯이

2부

씀바귀

노란 꽃들 지천이다
하늘이 뿌린 금화들을 줍는 이 없네 가난한 내
겐, 어디서든 바람인

씀씀 씀바귀
바귀바귀 씀바귀

섬

사랑의 부표가 쿨렁, 한다
제 시의 결로 재채기하는 바다

그래, 그리움 시詩초롬한 게 섬이다

섬이 늘 원경인 건 그 시詩뜬 표정 때문이다

시 1

시야 시야 혹시나
감시監視는 아니겠지?

바람 들라 문풍지 달아라고 누가 응시하듯 사랑
을 말하네

시라고 무시 무시無視는 더욱더 아니겠지?

시 2

타들어가는 애의 새싹

흐느끼는 기억의 심해에 뜬 부표

서로 사무치는 파도의 결

돌에 스미는 시선의 물빛

나무 아래

1
푸른 잎 무성한 그늘에 컹컹
짖는 소리 묻어놓고
죽은 개 이름 부르네
또 응사를 짓네

2
느릅나무 밑뿌리께에 개의 무덤 생겼네
망초꽃 하얗게 피어나 바랜 곳

여자가 시선을 또 묻네
기억의 이름을 짓네

동백

구름 속 먼 우레의 귀

아린 공중의 모닥불

화농의 노란 저수지 싸안은 멍

내 허공 무너뜨리는 붉은 악다구니들

사랑법

심연 읽는 물방개의 길을
가로질러 쓰는 우렁이의 길
그 깊은 세계의 교차를 흐트러뜨리지 못하고 수
면만 긁는 오리들의 길
그 모든 길들 뭉개지 못하는 물에 비친 구름들

노래 2

노래는 언어로만 부르는 게 아니다
바람에 날개를 터는 씨앗의 대답이 있다
말의 그늘이 띄우는 풍선의 편지 형식이며
목풍지風紙의 연금술이기도 하다

노래 3

검은 미래로의 호명

제 상처 내다 말리는 털 짐승의 숨

달빛의 수채 핥는 고양이의 혓바닥

던지면 되돌아보는 돌의 응시

탑 2

층, 층, 솟구친다 꽃
네가 더 피워내는 꼭대기로
절간 같이 내게 지피는 것이니
층층이 겨워서, 기도의 활짝으로 경례!

2월

지상의 것들이 얼굴색을 바꾼다
꽃망울로 저마다 한껏 부푼 채
희게 애끓는, 응시를 가진다
나의 겨울은 끝내 그 응시의 객혈 자국이다

새

수시로 새점 뽑는 사랑이었네
날개만 활개 친 그리움이었네
그런 새조차 더 찾을 길 없네
자신이 새인지도 모른 채 공중에 숨어버렸다네

마른 꽃

꼬옥 접힌 채로
죽음을 피워버렸네
심연의, 물 없는 화병에 꽂혔네
그 붉게 내세웠던 사랑의 시선이여

3부

후기後記

사랑할 땐 서로 해석 안 되던 말들

그대 가고 나서야 다시 파보고

자거라 자작자작 나무 아래 되묻었네

이젠, 내게 물들어 있는 그 말들이 달리 피지 않네

동해

너는 왜 함께 동해 오자고 했을까

나의 퍼덕이는 너의 바다를 보라는 걸까

너의 바다 파도치는 이름을 부를까봐

너는 나의 바다의 수평선임을 보여주는 걸까?

보고 싶다면, 사랑이다

사랑은 자꾸 보고 싶은 거라며
바위같이 귀 닫은 채 눈으로만 보채네
내가 듣는 걸 네가 내다보는
이런 훤한, 도둑들의 마파람 거래

헤어진 뒤

네 어둡고 따뜻한 숲 헤집던 손으로
헤어진 뒤에야 자꾸 길 없는 이름을 적는다
저장일까, 삭제일까
들끓는 일련 번호가 나의 창고 속에 버려진다

응시

구름 머물다 간 하늘같다
사랑의 기억에 겨워 있다고 해도
바람이 쓸고 간 뒤
남는 말짱함의 응시일 뿐

낙서

서니와 서기는 뽀뽀했다고 써놓은 벽을
어른 되어 다시 바라보니
벽은 꼭꼭 닫아놓은 창으로 맑게 닦여 있네
무성한 담쟁이 그늘 사이로 내다보는 눈이 있네

실연

실연은 뉘든 불멸로 만들지
그대 빈자리를 끓는 말들로 채운
시로
읽히면

어제의 풍경

느릅나무 아래 차가 서 있었지
검게 선팅한 차 안은 안 보였지
차 유리에 느릅나무가 비쳐 살랑댈 뿐이었지
차 안에서 우린 환하게 서로 내다보고 있었을까?

봄

네가 내 부름에 꽃처럼 돌아보면
활짝 핀 게 또 내 안을 켜고 내다본다
바람을 세우는
먼 우레소리

이력

나는 대가천의 아들
가야산 부는 바람으로 떠돌았지
금호강의 딸을 취했는데
그 바람이 태풍 매미를 키웠지

또 다른 사랑

상처의 핏기 가셔서 분홍색을 띨 때 쯤
삶은 또 슬며시 앞을 여미는 응시이네
그렇게 에돌아 제 이름을 불러서
바람에 말리는 몸 헤적여지는 게 아닐까?

갈림길에서

망초꽃 시든 덤불의 길 끝에서
고개 숙인 채 누가 우네
꽃처럼
그가 빤히 날 보던 때가 있었지

노래 1

밤의 가로등 아래서 혼자 노래한다

구석진 돌의 대답이라면
중심에서 기다리는 탑의 부름일 수도 있다

밤의 가로등 아래서 혼자 노래한다

사랑

네게로 길 나서는 것 좋아
문득 아니면 시부지기,
네 만나러 네 만나러 길 나서는 것
좋아 멀어도 나서면 그냥 길이 접혀

봄소식

사랑한다는 말은 봄 전갈의 후렴

인사치레라도, 사랑한다는 말에는 포옥, 속을 거야

올봄은 한 달 먼저 온다는데, 맞네, 맞네

기상이변이여, 네 후렴만이 앞당기네

구름

구름의 속앓이 우루루루를
밖으로 내뱉으면 천둥이 되지
그러나 나는 네게 뭉게뭉게로
말로만 이름 짓는 구름 시인일 뿐

코로나

내 말을 네게 차단하는 마스크라서
벗으려 하지만 감염된다며 네가 말린다
그냥 말해,라고 하는 네 말의 경계가
우리 감염의 관문이 아닐까?

4부

소주

1
오, 한밤의 소주는
핏기 없이 투명해 참 냉정해 어느 곳으로든 시선
이 더 없고
나 혼자 거푸 따루네 내게로만
썰물지네

2
제 응시만 지피는
물불의 모닥불

먹 겨울 한 밤의 속 마저 태우는 찬 열기

이 응시 끄지 못하네 밀물져올 봄까지

돌

1
돌은 속이 꽈악, 비어서
물처럼 결이 안 고르다

그래서 나는 남겨져서 파도치지 않는다

애끓는 시선만으로 네게로 금이 갈 뿐

2
나는 무슨 돌로 응축되기만 할까

시나브로 나는 네 심연으로 가라앉을 뿐

너에게 돌을 던지면
떠난 돌의 응시일 뿐

가섭사 가는데

가섭사 가는데
내 산딸나무 수런거리고
후투티 그 꽃 가지 타고 지저귀네

환히 핀 이 청㗸 고요가 늘 내 사랑의 시선이길

부재에 대하여

네가 내게로 너무 가까이 있으면
되레 부재하는 것 같아
더 떨어진 이름 같아
앞질러 가쁜 숨결의 시선만 느껴진다니까

추억

코밑과 턱과 뺨을 수염이 뒤덮듯
거울 앞에만 서면 더욱 무성해지는

매일을 면도하듯이
조심스레 깎아내는

나방 같은

한밤이 내뱉는
어둠의 흰 껍질
갑자기 내게 맹목으로 날아든 손님이라
까맣게 붙잡았다간 화들짝 놓아준다

짧은 시, 긴 응시

1

4행 시집이 기획되어 참여한다. 설렌다. 주어진 기간이 길지 않아 포켓에 수첩을 넣고 다니면서 메모한다. 그걸 정리하고 고치면서 이 작업에 참여한 부담이 가중됨을 느낀다.

4행시는 오래된 시 형식이다. 들여다볼수록 만만치 않다. 한시의 절구와 서양의 4행 시집들을 들춰보고, 우리의 옛 4구체 향가들을 챙겨보기도 한다. 4행시는 전통이 긴 만큼 그 구조가 매우 잘 짜여 있다. 전통의 규율과 작업방식이 오랫동안 굳게 지켜져 왔다. 당

연하다. 시가 강렬하게 경험했던 시대적인 한 징표이기 때문이다.

  # 그러나 나는 그런 형식과 규율에 구애받을 생각은 없다. 왜냐하면 지금 이 자리에서 새삼 4행시를 말하는 것이기 때문이다. 그 형태를 의식하면서도 지금의 우리 시의 문제로 부닥치는 것일 수밖에 없기 때문이다. 어디까지나 내 시의 모습대로 보여줄 뿐이다. 다만, 우리 현대 시에 보이는 짧은 시들 중에 4행으로 된 절묘한 것들을 눈여겨본다. 그것들은 굳이 4행을 의식하지 않은 가운데 4행이 된 듯하다. 시작 과정에서 4행을 의식하는 건 사실 부자연스럽다. 자유롭게, 형식을 곧이곧대로 의식하지 않은 채 열린 상태에서 짓는 게 편한(시 짓기에 '편한'이란 말을 쓰다니!) 듯하다.

  # 4행을 맞추는 게 억지스러울 수도 있고, 의도적으로 비칠 수도 있지만, 시의 행갈이 조절로 가능하다고 생각한다. 긴말도 4행으로 토막 낼 수 있다. 그건 이미지의 문제고, 심리와 호흡의 문제다. 이 시집에는 시조도 대여섯 수 들어 있는데, 시조의 3장 형태를 분절하면 쉬 4행이 되기도 해서 그것조차 수용한다.

말하자면, 나는 4행시를 '짧은 시'라는 말로 대신하고 싶다.

최근 들어 짧은 시에 관한 얘기들이 더러 나오고 있다. 이 시집의 기획도 우리 시에 대한 어떤 견해를 드러내는 것일 터이다. 그렇다고 해서 짧은 시가 긴 시에 대한 반성에서 나온다고 생각하지는 않는다. 길면서도 접근조차 하기 힘든 복합적인 언어 구사들에 대한 반감과 그 대안으로 짧은 시를 보여주는 것은 더더구나 아닐 것이다. 길고 난해한 시들은 오늘의 시인들이 처한 현실의 어려움과 난해성과 관련이 있기 때문이다. 그렇다면 지금에 와서 새삼 짧은 시를 부르는 것 또한 그런 현실에 대한 현실적 대응의 한 양태일 수도 있겠다라고 여기고 싶을 뿐이다. 문학에서 특정한 양식의 부름이나 수용은, 알다시피, 교양적인 것으로 귀착되는 게 아니다. 그것은 오히려 반교양적인 태도로 나타나며, 어디까지나 시대적인 문제로 불거지는, 삶의 문제인 것이다.

그래, 짧은 시는 오히려 긴 시의 꿈이며, 여전히 우리 생의 섬광들로 받아들인다.

짧은 시. 목이 짧거나 결이 검다는 뜻이 아니다. 짧은 시는 빠른 시다. 짧은 시는 돌아서 갈 수 없는, 다급한 꿈이고, 가장 긴 시의 꿈이기도 하다. 눈이 먼 시는 아니다.

짧은 시는 삶의 긴 응시이기도 하다.

2

말들이 여전히 눈을 뜨고 나를 봄을 느낀다.

언어의 상징성은 어떤 구속이며 해방일까? 언어는 삶의 표상이어서, 그 시선이 향하는 방향이 결국은 나의 지금의 모습일 수밖에 없다. 그 드러내는 말의 폭과 깊이는 그 상징성으로 인해 쉬 가늠될 수 없을 만큼 넓고 깊으며 복잡하다. 그러면서도 언어는 삶을 향한 시선들로 떠들어지며, 응시로, 격렬하게, 고요해진다. 내가 지금 언어를 말하는 한 삶이 가지는 과거와 미래는 현재의 결에 새겨진다.

언어는 또한 소통의 꿈을 갖는다. 그래서 '네'가 부

른다면, "내 이름은 너의—나의— 대답"인 것이다. 부름과 대답은 다가섬과 달아남으로 사방을 두리번거린다. 부르는 것과 대답하는 것은 주먹을 쥐는 일이며, 손을 흔드는 일이기도 하다. 서로 보는 일이며, 그 촉감이 늘 서로 파도치는 일인 것이다. 구름 같고, 꽃 같은 촉감의 시선이라고 말해질 수도 있겠다.

　# 문득 내게 온 '나'를 본다. "너는 누구냐?"라고 나는 묻는다. '그'는 대답 대신 내 방의 창문을 열어 환기한다.

　# 삶은 때로 자연과 만나 들뜨거나 가라앉는다. 내 삶의 근처에, 또는 속에 그것들은 간단없이 비집고 든다. 끝끝내 살아낸다. 인간들의 처소들 속 그늘지고 우묵한 곳에 누군가가 들어와 살며 내 삶을 기웃거린다. 시멘트 담장이나 아스팔트의 틈에도 그것들이 발이 닿는 순간 불가사의한 뿌리가 내려진다. 그것들이 뿌리내리면 그 삶의 그늘이 이내 무성해진다. 그들은 그렇게 살아가는 걸로 나를 본다. 거기 버려진 삶의 그늘들을 베낀 적 있다. 거기 내 이름이 찍혀 있기도 했다.

　# 내가 자연과 친할 때, 또는 '우리'가 서로 받아들여

질 때 나는 새로 호명된다.

　# '내 이름이 너의—나의— 대답'이기에 늘 시선이 있었고, 응시로 남는다. 시선은 현재성의 존재 인식이며, 응시는 미래를 향한 기억의 부표이다. 그것은 자기 존재 인식의 한 태도여서 현재에서 분리될 수 없다.

　# 응시는 자신을 향한다. "던지면 되돌아보는 돌의 응시"인 건 그 때문이다.

　# '희게 애끓는, 응시'야말로 사랑을 꿈꾸는, 새 계절의 문간이다.

　# 사랑의 태도가 '보고 싶음'으로 세워진다면, 결국 응시를 예견하는 비극성을 사랑한다는 것과 다르지 않다. 그렇게 나는 언제나 '길 없는 이름'이다.

　# 사랑은 정면에서는 수줍음으로 물들지만, 뒤로는 응시로 탄다. "그냥 말해"라고 하는 누군가의 말의 경계가 서로 감염되는 관문이 된다. 언제나 헤어짐의 후기後記이기도 하다

왜 모든 사랑은 받고 나서 '되돌려줄 수 없는 꽃의 그늘'로 되지펴질까? 수염처럼 늘 무성해지는 걸 '매일을 면도하듯이/ 조심스레 깎아내는' 추억으로 현재성을 드러내기 때문일까? 왜 우리는 언제나 가까이 있으면서도 '더 떨어진 이름같이' 서로를 의식하는 것일까?

'애끓는 시선만으로 네게로 금이 갈 뿐'인 돌이여. '떠난 돌의 응시일 뿐'이라면 돌에 새겨진 결과 무늬는 그 응시의 파노라마이며, 시시각각이 이룬 지층地層의 추상이다.

이 시집 속에는 시조도 몇 수 들어 있다. 최근 들어 시조는 가끔 내 속의 심지에 불을 붙인다. 그 세계는 소주같이 환하다. '제 응시만 지피는/ 물불의 모닥불'인 소주가 나를 붉게 물들인다. 그것조차 '너'의 '나'를 향한 응시이기 때문일까?